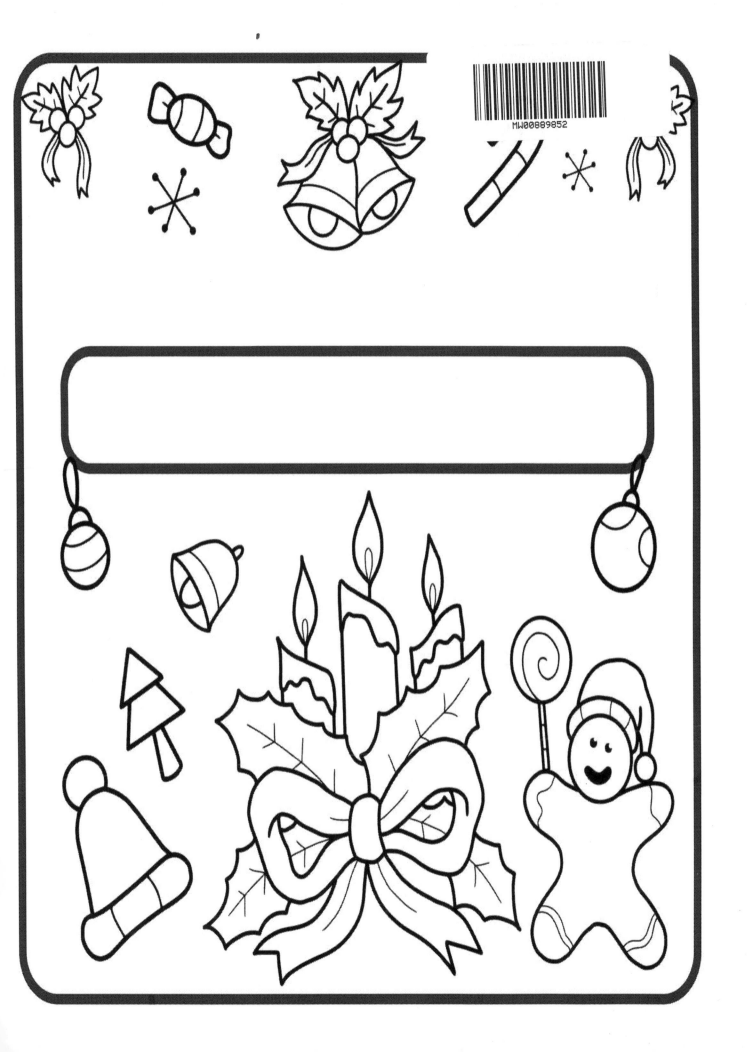

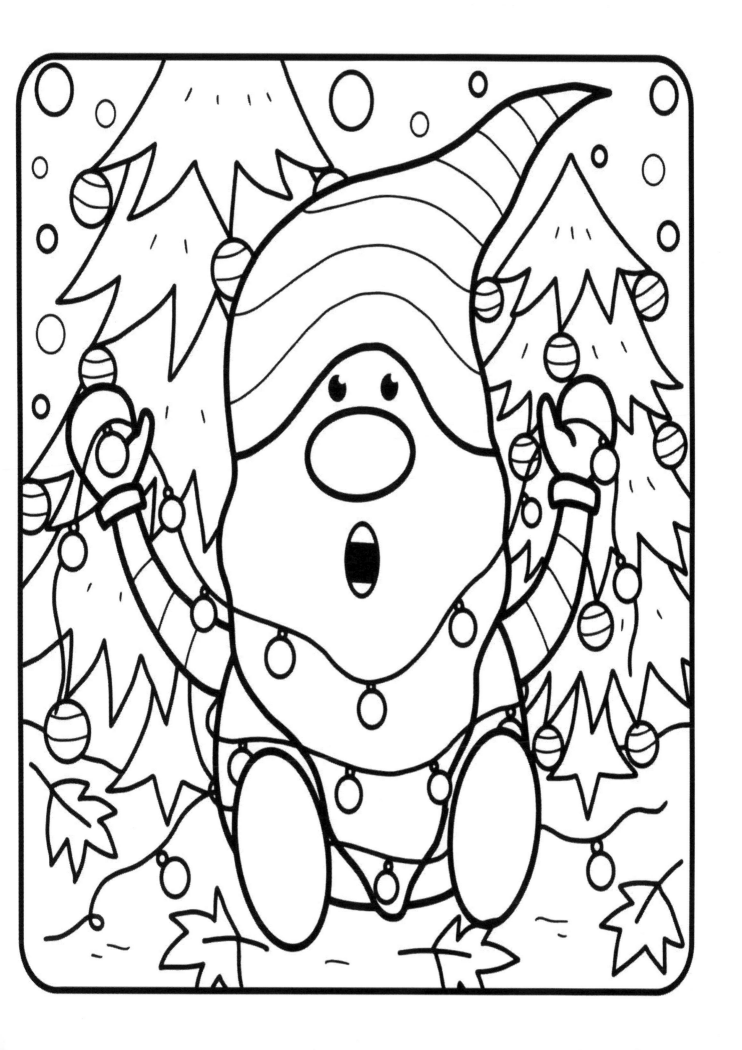

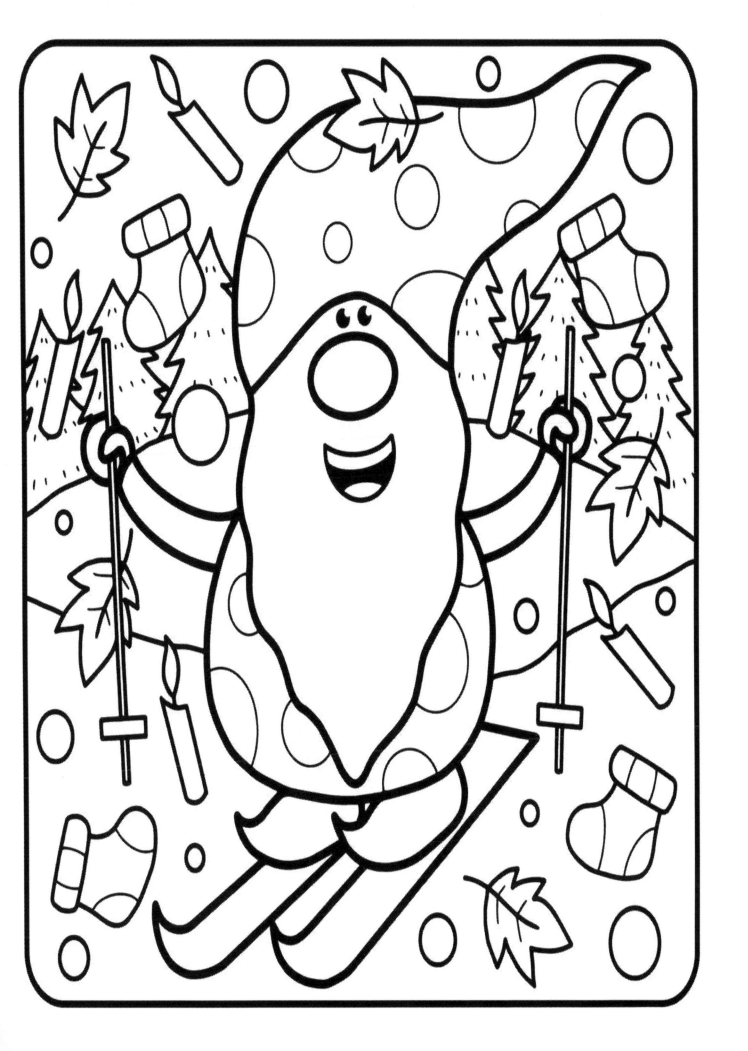

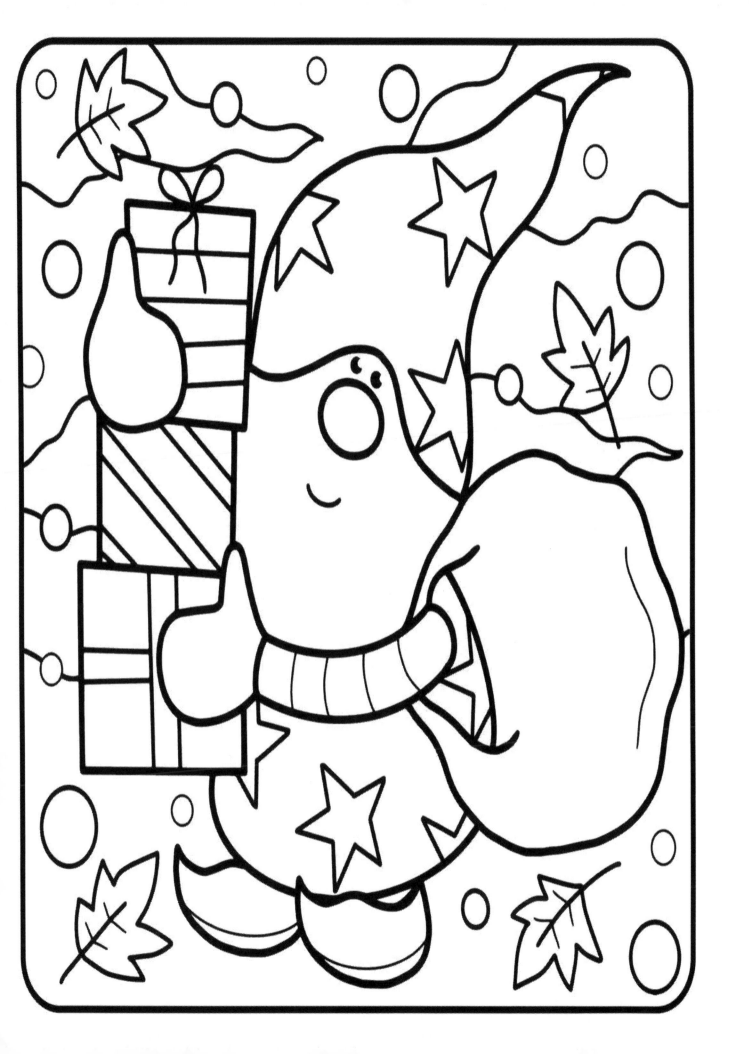

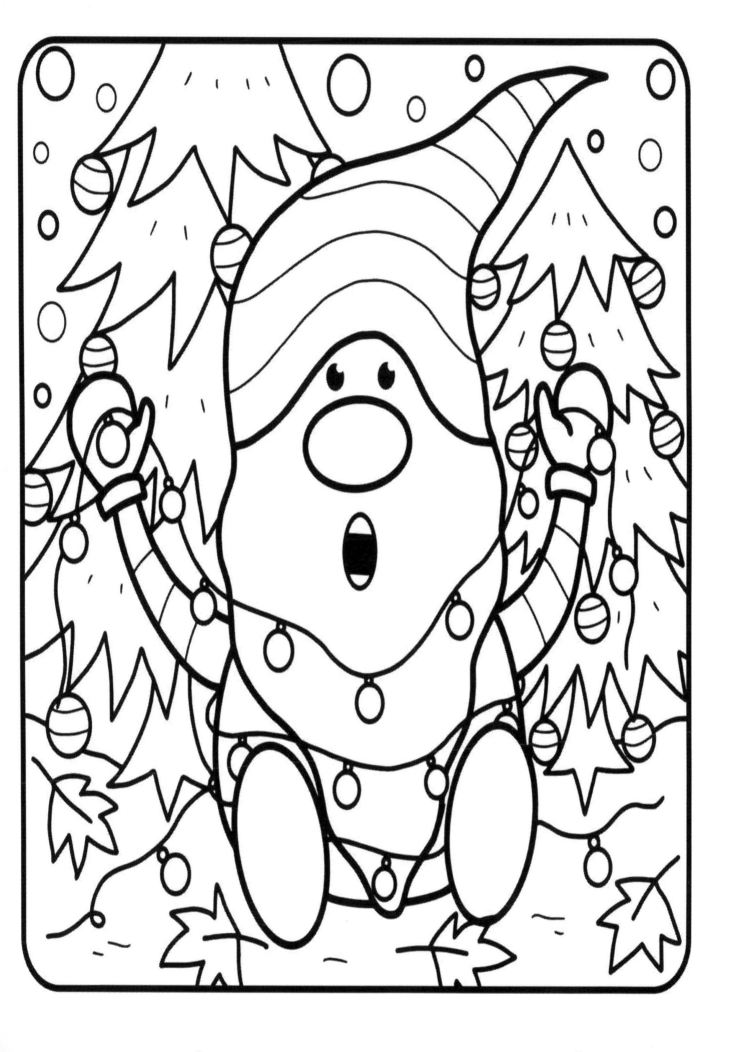

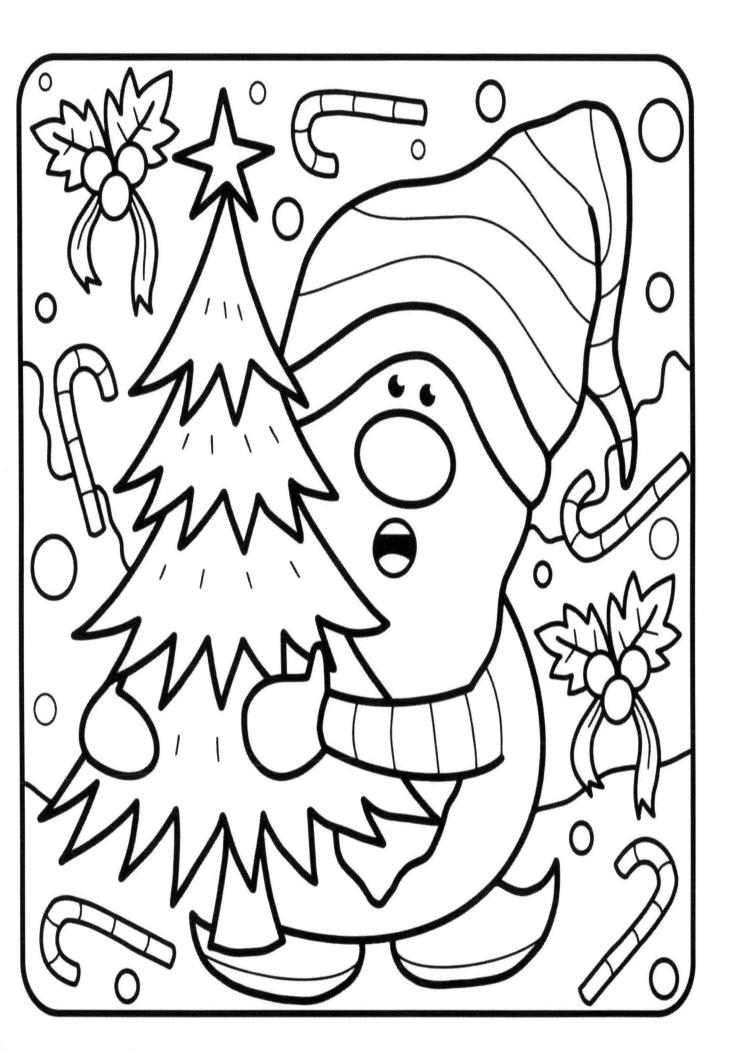

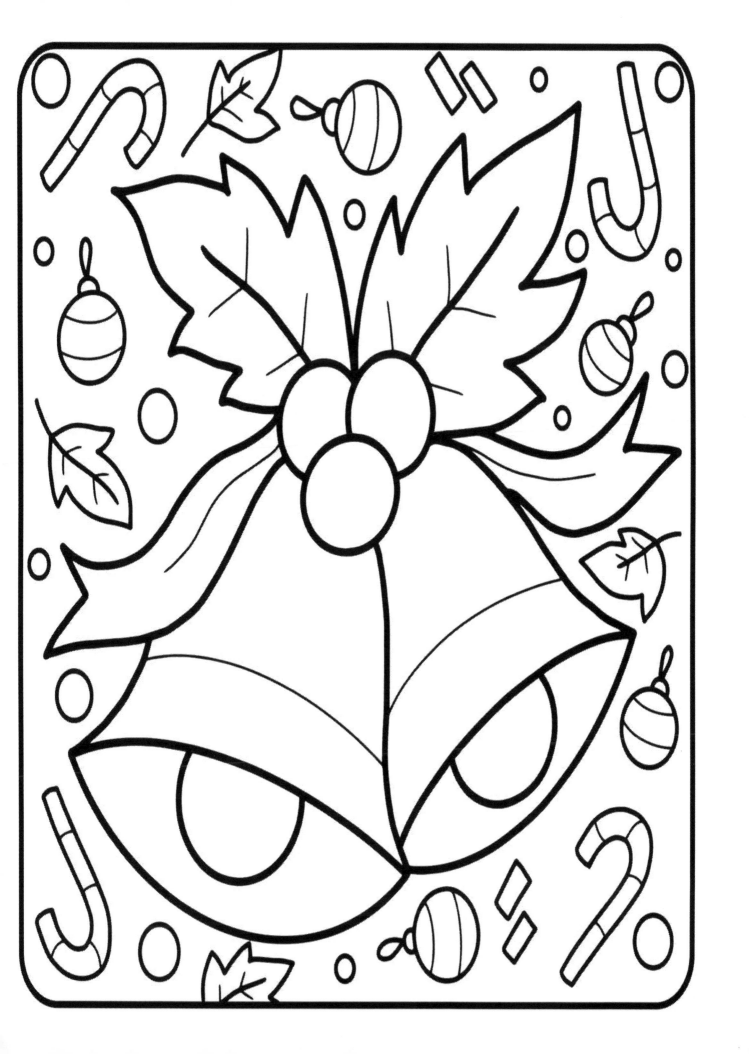

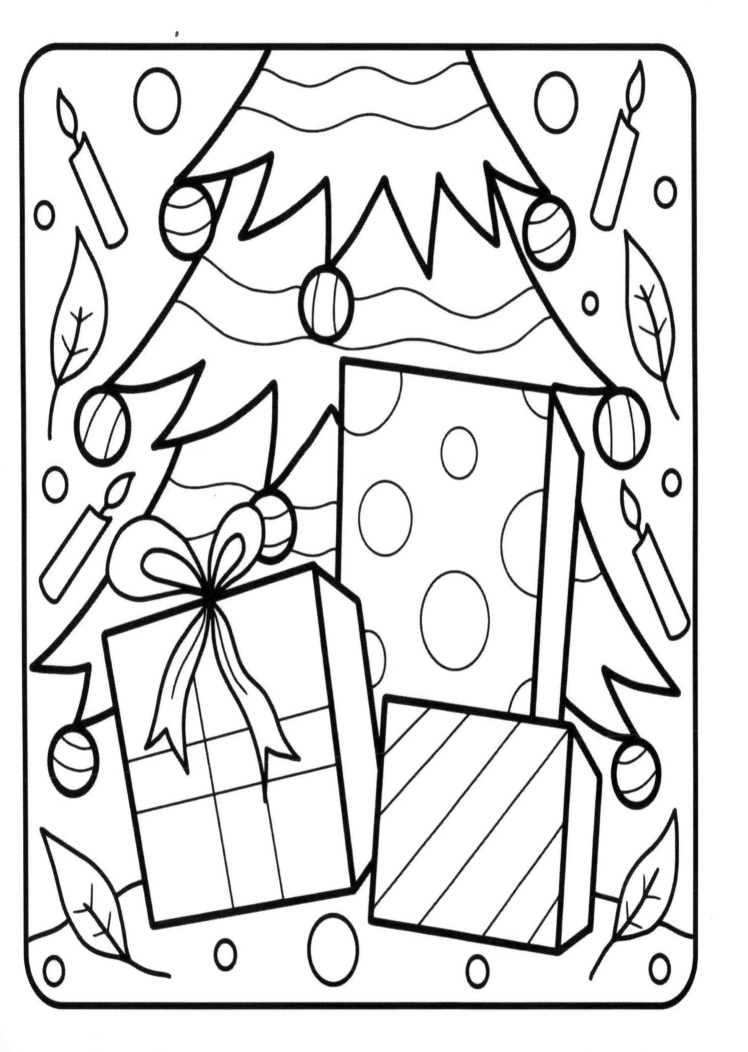

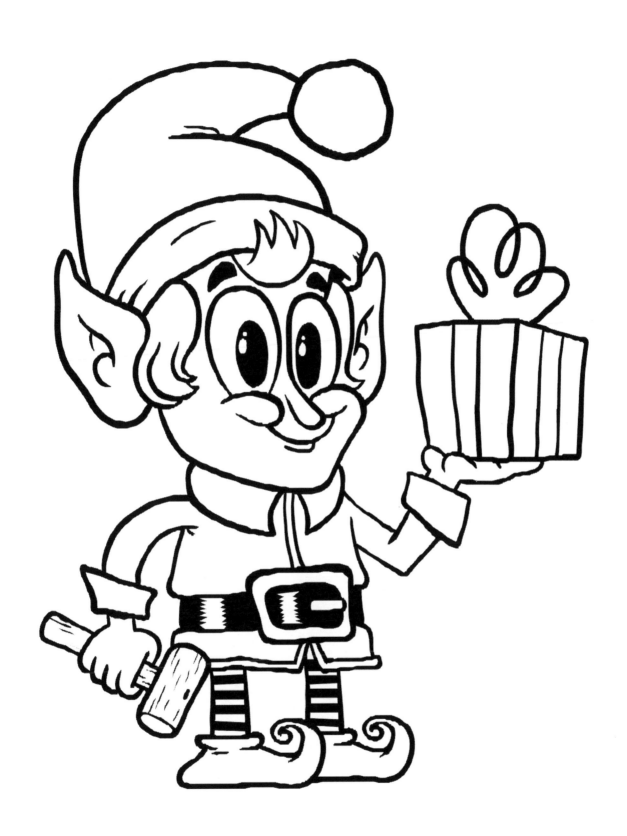

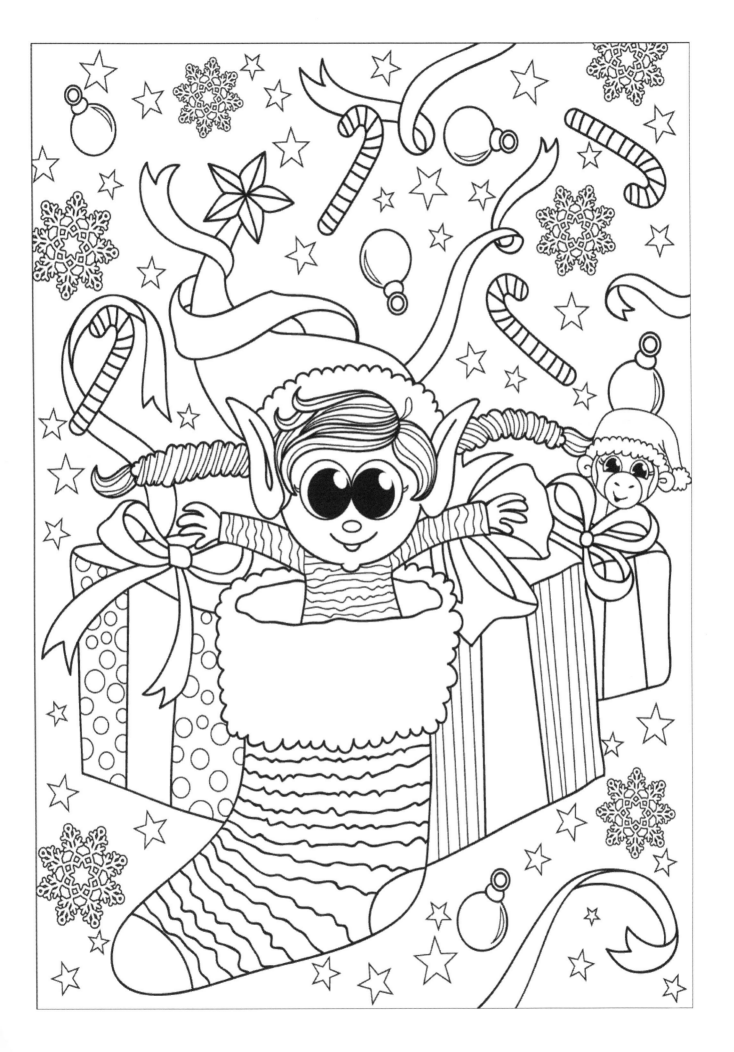

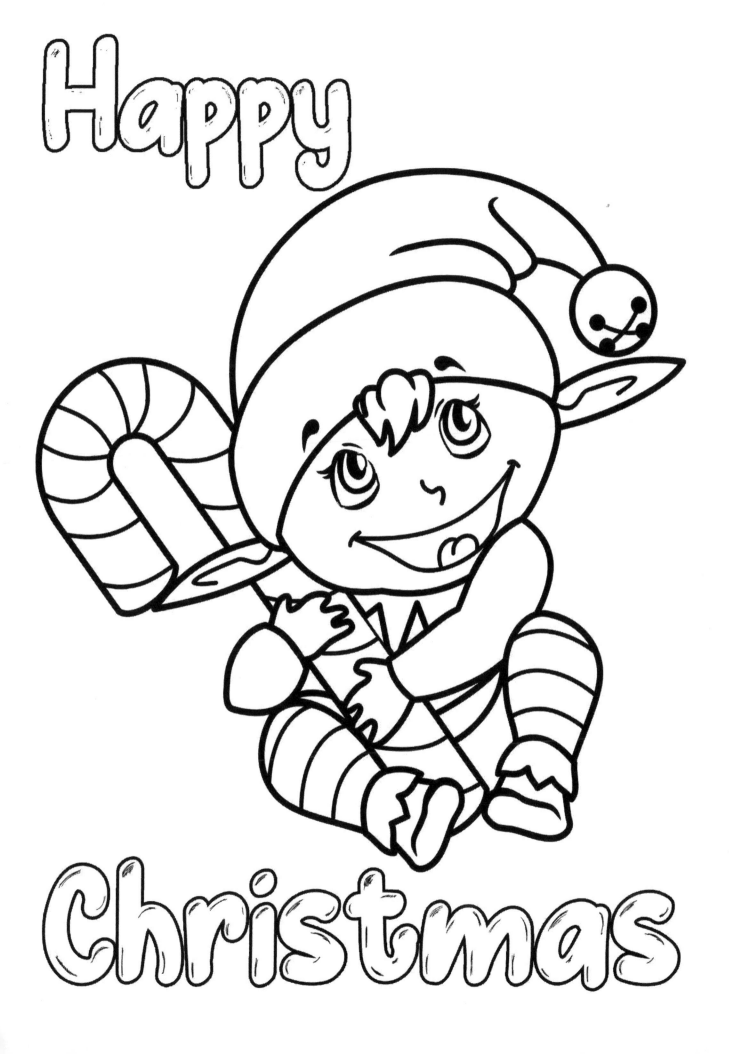

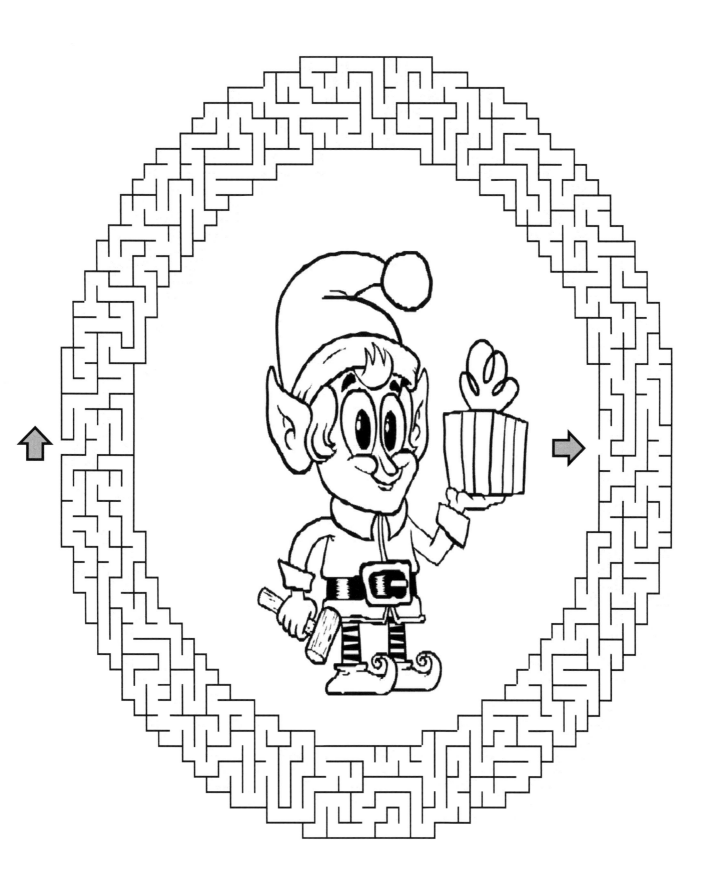

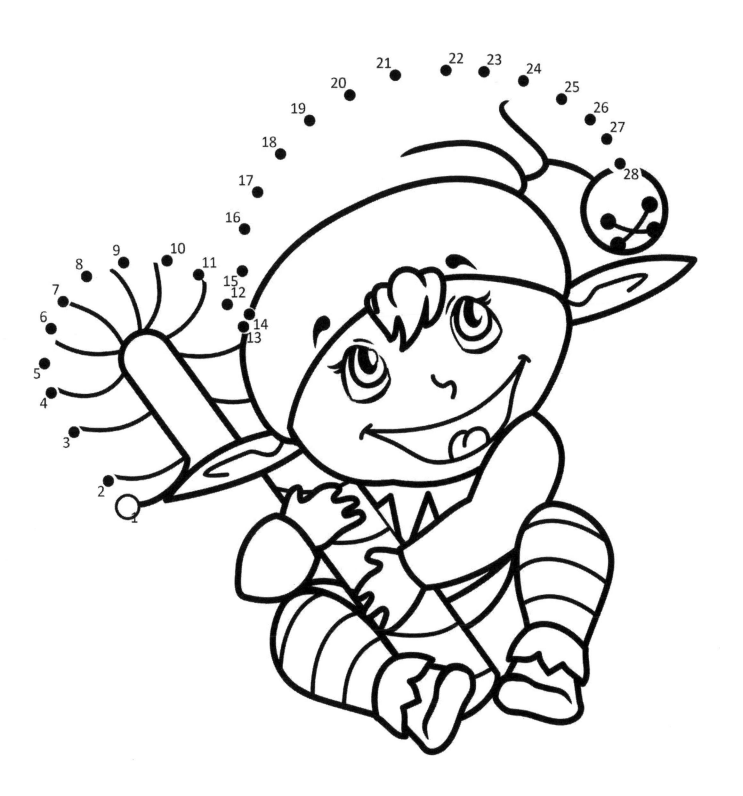

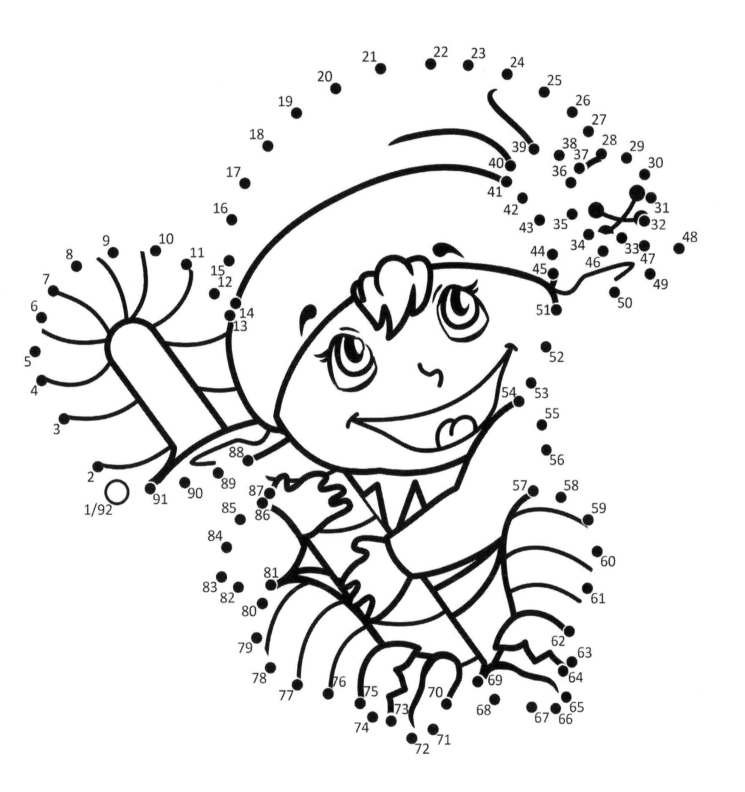

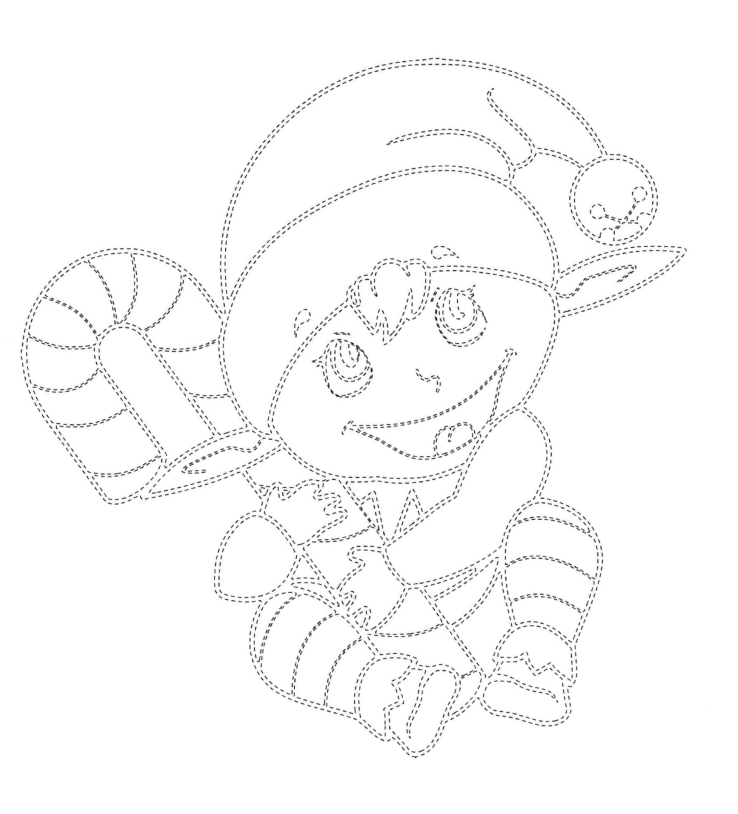

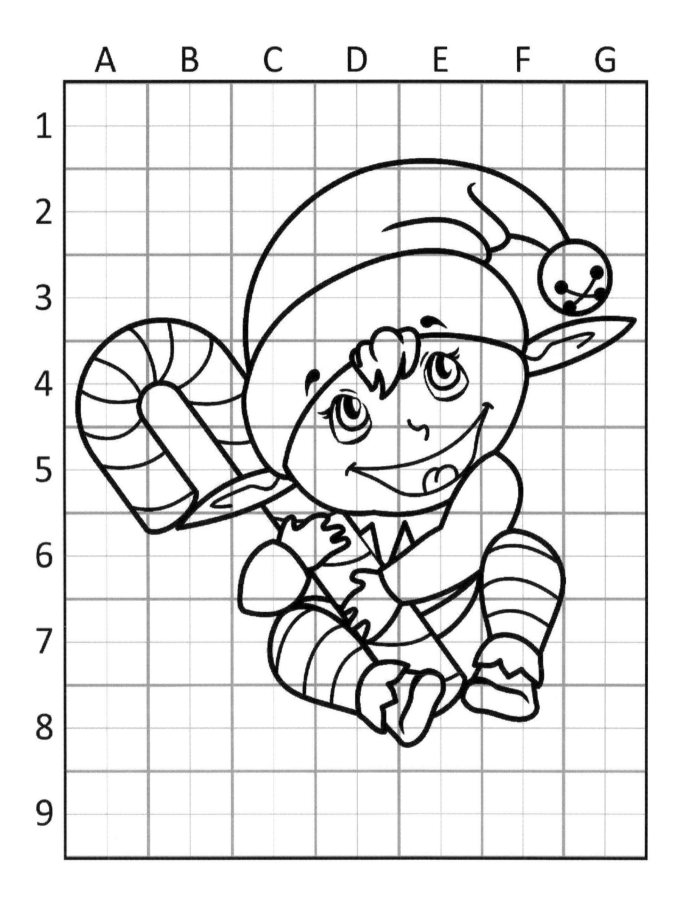

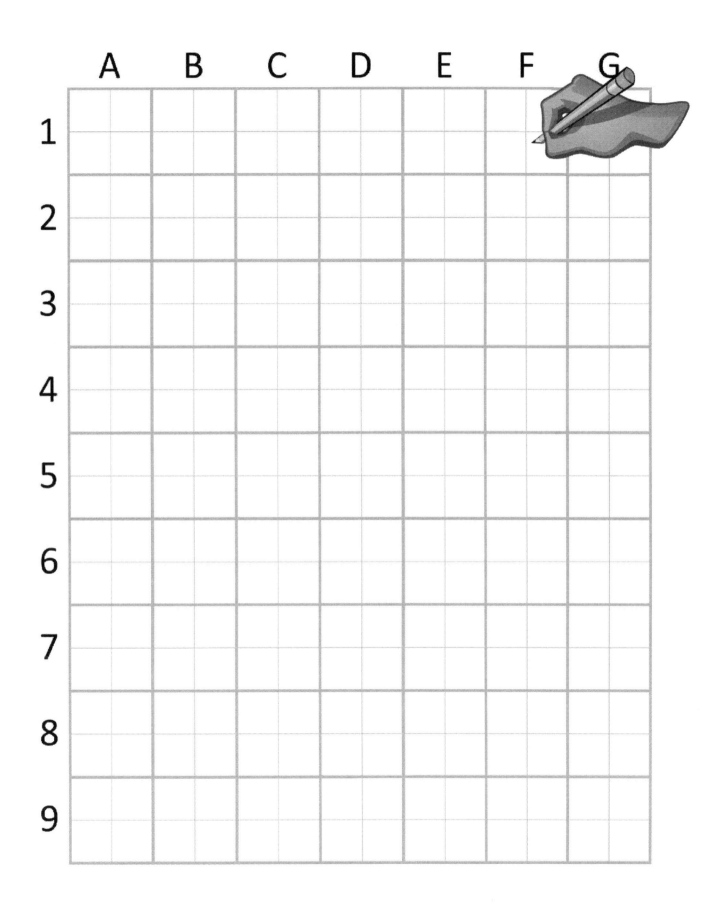

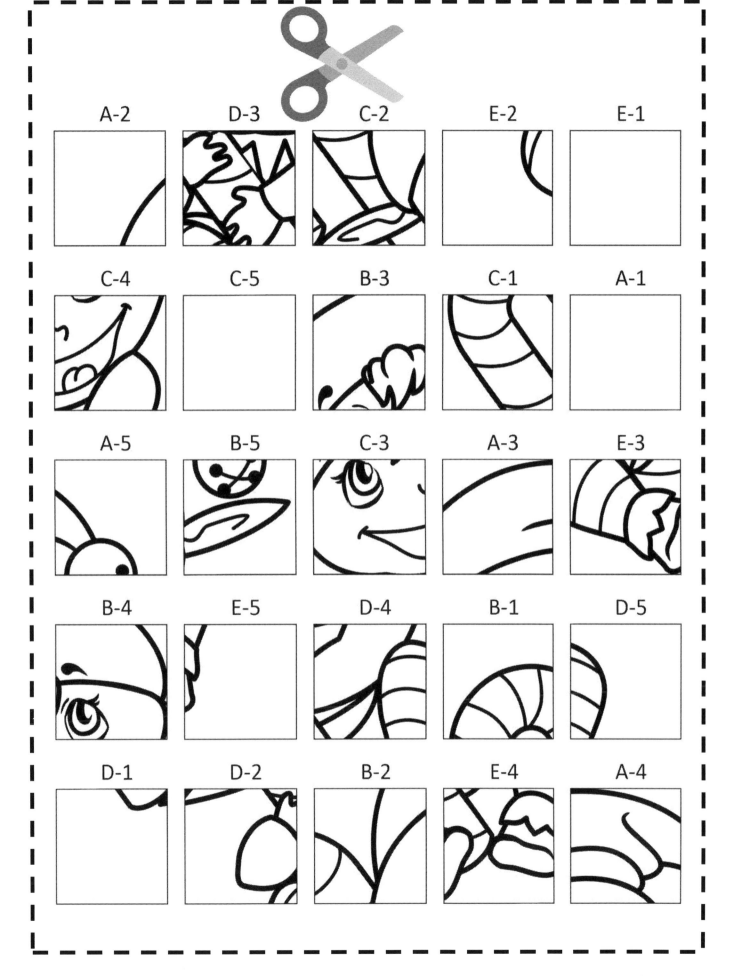

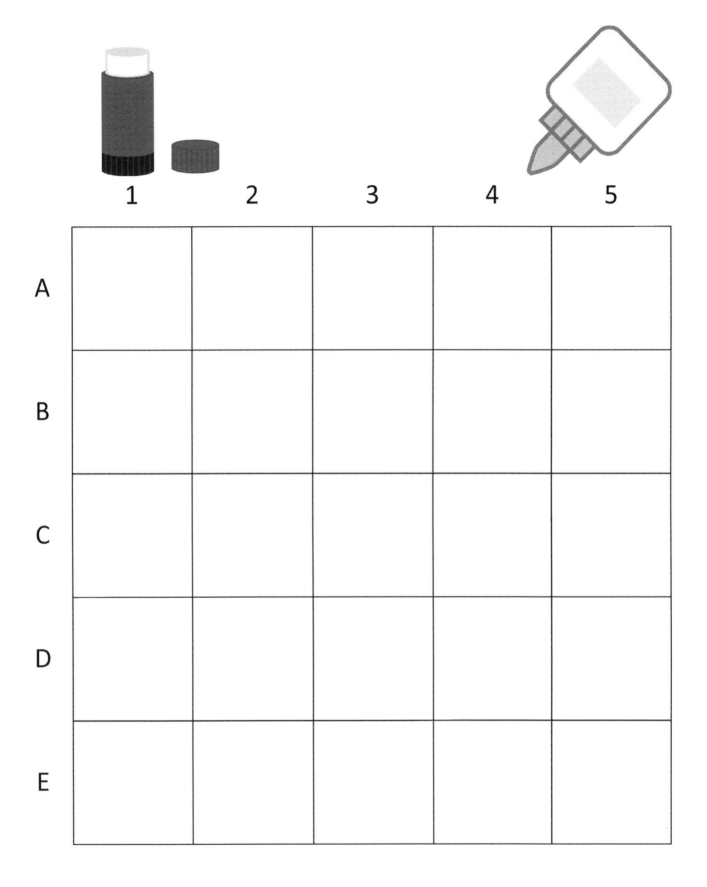

	1	2	3	4	5
A					
B					
C					
D					
E					

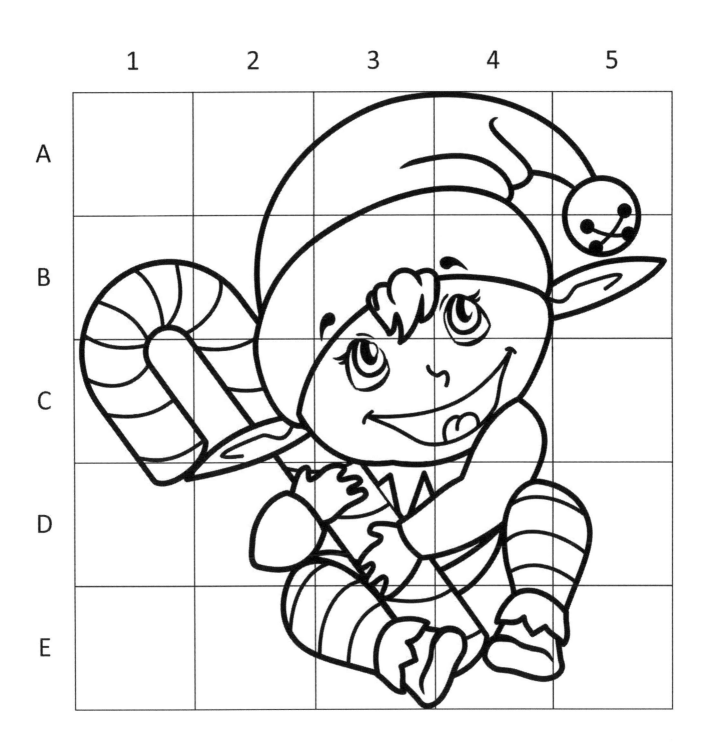

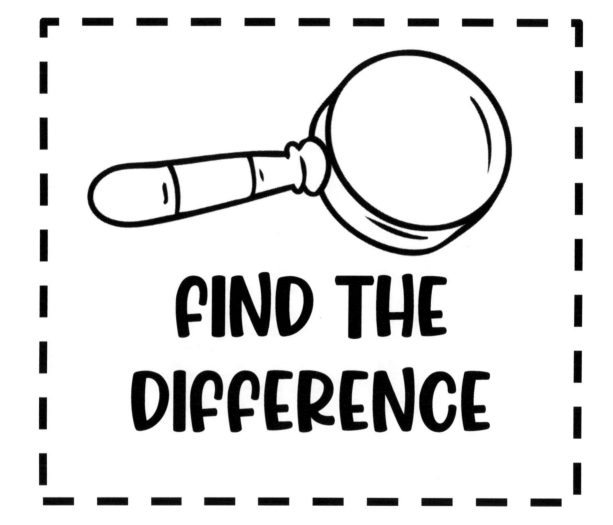

FIND THE DIFFERENCE

Find the difference

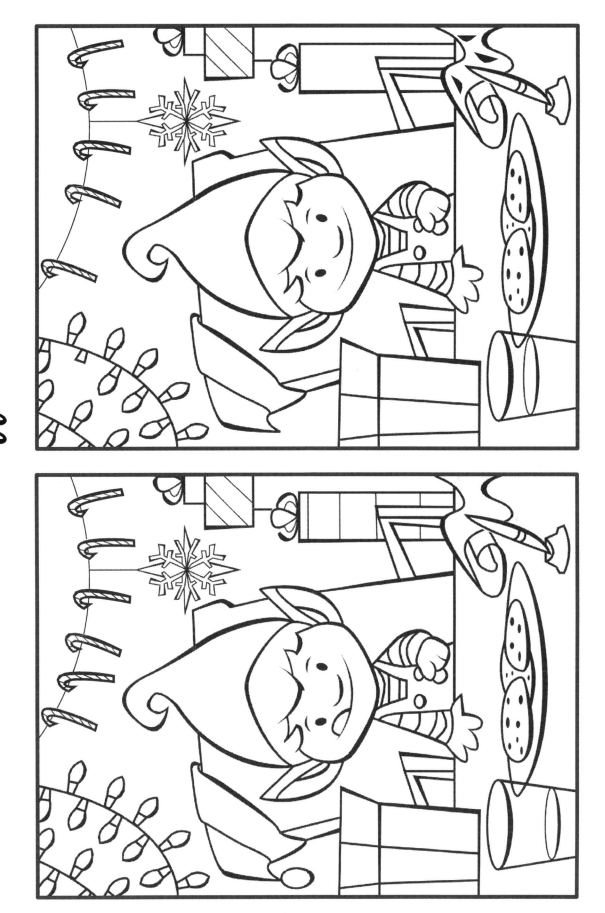

Find the difference

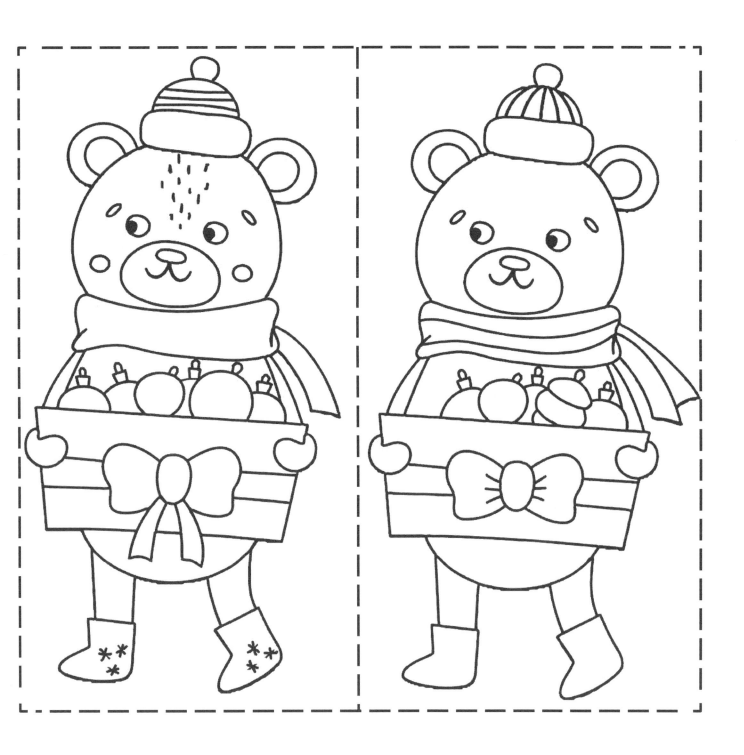

Find the difference

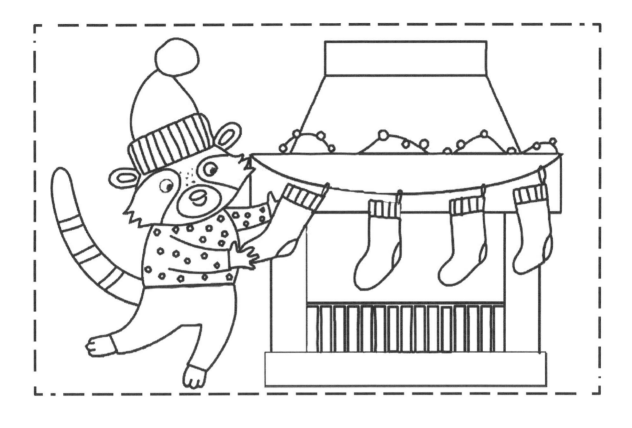

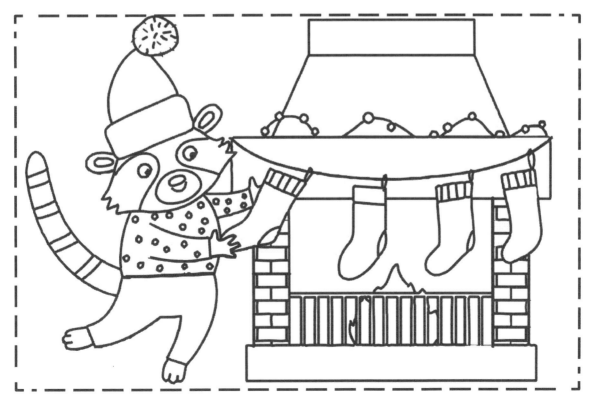

Find the difference

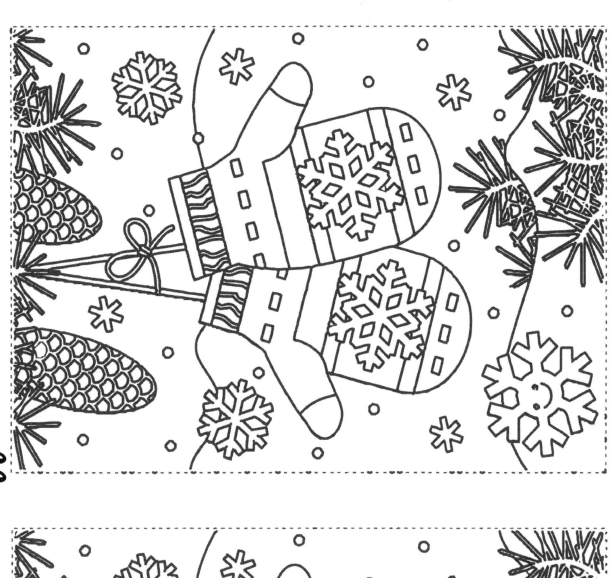

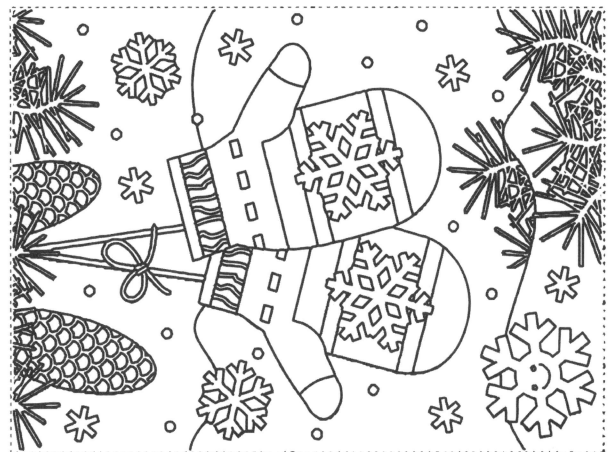

Find the difference

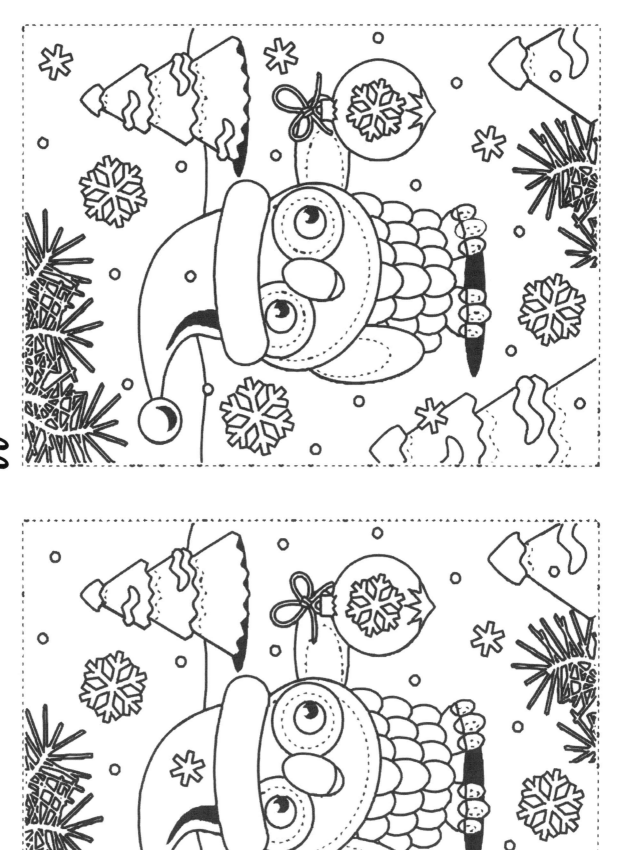

Made in the USA
Monee, IL
14 December 2022

21685338R00028